ISBN 978-2-211-21473-5

© 2014, l'école des loisirs, Paris, pour la présente édition
dans la collection «Titoumax»
© 2012, *l'école des loisirs*, Paris

Loi 49956 du 16 juillet 1949, sur les publications
destinées à la jeunesse : septembre 2012
Dépôt légal : avril 2014

Mise en pages : *Architexte*, Bruxelles
Photogravure : *Media Process*, Bruxelles
Imprimé en France par *IME* à Baume-les-Dames

Édition spéciale non commercialisée en librairie

Grand Guili

Texte de Jean Leroy
illustrations d'Emmanuelle Eeckhout

Pastel
l'école des loisirs

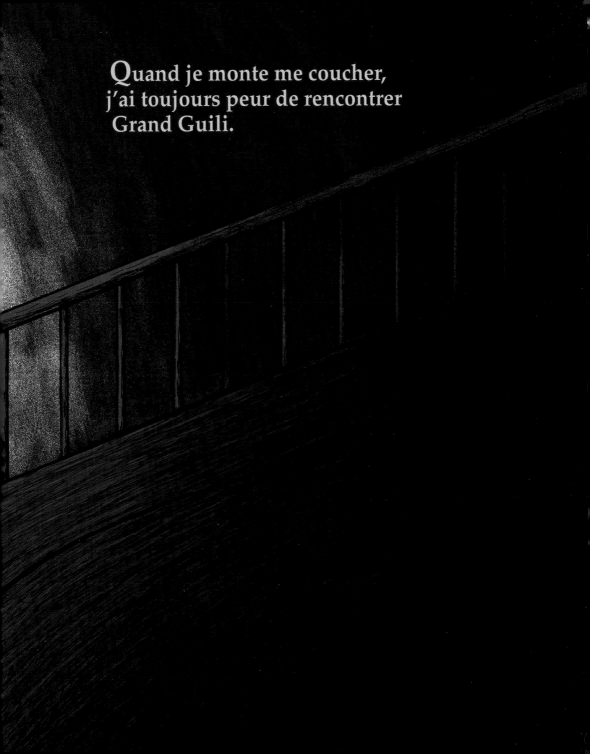

Quand je monte me coucher,
j'ai toujours peur de rencontrer
Grand Guili.

Et si, ce soir, Grand Guili était caché
derrière la porte de ma chambre ?

Et s'il était tapi
sous le lit ?

Oh ! J'entends la porte
qui grince…

Ça y est ! C'est lui !
Grand Guili !

Au secours !
Grand Guili chatouille
mes petits pieds.

À l'aide ! Il grattouille
mon petit ventre.

Non, Grand Guili !
Pas sous les bras !

Ça suffit,
Grand Guili !

Hop !

À mon tour, Grand Guili !

Je piétine ton gros bidon.
Je tire sur ton vilain nez.
Je…

Pitié, Petit Guili !
Tu as gagné !

Tiens, tiens, je connais cette voix.
C'est…

celle de mon papa !

Bonne nuit, P'tit Louis.
Bonne nuit, Papa Guili.